EVERYDAY HAPPINESS

민화
소품 만들기

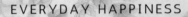

집안 분위기를 바꿔 보세요.
행복이 가득한 민화로 세상에 하나뿐인
나만의 인테리어 소품을
직접 만들어 볼 수 있는 책입니다.

민화 소품 만들기

발 행 | 2024년 3월 19일

저 자 | 꽃피어나

펴낸이 | 한건희

펴낸곳 | 주식회사 부크크

출판사등록 | 2014.07.15.(제2014-16호)

주 소 | 서울특별시 금천구 가산디지털1로 119 SK트윈타워 A동 305호

전 화 | 1670-8316

이메일 | info@bookk.co.kr

ISBN | 979-11-410-7698-6

www.bookk.co.kr

집안분위기
살려주는
인테리어

세상에 하나뿐인

민화
소품 만들기

행복이 가득한
민화 조명

현대적 감성
빈티지한
벽걸이 거울

꽃피어나 지음

BOOKK

목 차

프롤로그 :

남들과 차별화된 인테리어를 하고 싶다면?

나만의 독특함이 담긴 작품을 일상에서 접하면서 한순간이라도 마음의 편안함을 느낄 수 있다면 어떨까요? 지금 잠시 시간을 멈추고 생각해보세요. 날마다 촌각을 다투듯 변화하는 일상 속에서 오로지 나를 위한 공간이, 아니면 나를 위한 '어떤 것'이 있을까요?

내 손으로 만든 '어떤 것'이 내가 숨 쉬는 공간에서 늘 함께하는 작품이 되어 명품이 될 기회가 생긴다면? 남들과 비교도 할 수 없는 충만한 멋진 삶을 누릴 수 있을 것입니다.

그림에 소질이 없어도 접하기 쉬운 게 민화입니다. 도안이 있고 반복되는 부분이 많아서 어느 정도 익히다 보면 작품이 뚝딱 나옵니다.

이번에 소개하고자 하는 아이템들은 민화를 통하여 세상 어디에도 없는 나만의 소품을 직접 제작하여 장식할 수 있습니다. 현대적인 공간 어느 곳이든 잘 어울릴 수 있는 아이템만을 선정하여 직접 그림을 그려보고 형태를 만들어 볼 수 내용을 담았습니다.

동·서양의 만남이 예술로 이어지는 시대입니다. 한국을 대표하는 문화예술의 한 장르로서 민화가 가진 색의 묘미는 전 세계인들의 마음을 사로잡을 것입니다. 전통을 기반으로 하여 현대적인 감각을 살린, 민화가 가미된 인테리어 소품은 독특하고 차별화된 공간을 만들 수 있는 좋은 수단이 될 수 있습니다. 우리가 머무는 공간이 전통과 현대의 문화가 조화를 이루어 편안하고 안락한 분위기를 선사할 것입니다.

2024년 3월

꽃피어나

chapter 1. 이것만 알고 가요

1) 민화 이야기

"민화"는 한국의 전통적인 민중 예술 형태로, 민중의 그림, 백성의 그림, 서민의 그림이라 합니다. 민화는 사람들의 일상생활과 신앙, 풍속 등 생활 전반에서 다양한 색채와 형태로 표현되었습니다.

민화는 대부분 무명의 민중 작가들에 의해 그려졌으며, 그들은 종이나 비단 위에 먹과 채색을 해서 그렸습니다. 민화의 주제는 신화, 동물, 식물, 사람 등 다양하며, 그림의 형태와 스타일은 지역에 따라 다르게 표현됩니다.

또한, 민화는 그림의 형태뿐만 아니라 색채에서도 그 특징을 드러냅니다. 민화는 대체로 밝고 선명한 색채를 사용하여 그림을 그리는데, 이는 민중들의 생명력과 희망을 표현하는 방식이라고 볼 수 있습니다.

민화는 그 시대 사람들의 생활과 문화, 신앙을 반영한 예술 형태로, 그 시대의 사회적, 문화적 배경을 이해하는 데 중요한 자료로 활용됩니다. 또한, 그 독특한 스타일과 표현방식으로 인해 현대에도 많은 사람에게 사랑받고 있습니다.

2) 한지공예 이야기

한지공예는 질 좋은 한지를 사용하여 만드는 다양한 공예품을 제작하는 것을 말하며, 전통에서 현대에 이르는 변화과정 속에서 우리 생활 전반에 사용하고 있습니다.

< 한지공예 종류 >

- 전지공예 : 한지를 오려서 여러 겹 덧붙여 기물이나 장식장에 아름답게 꾸미는 방식
- 지승공예 : 한지를 가늘고 길게 자르고 꼬아서 다양한 방법으로 엮어 생활용품이나 장식품을 제작하는 방식
- 지호공예 : 종이죽을 이용하여 함지박이나 항아리 등 다양한 형태를 만든 후 옻칠 등 마감재를 칠한 후 마무리하는 방식
- 지화공예(紙畵工藝) : 한지를 붙이고 완성한 작품에 그림을 그려 넣어 장식하는 방식
- 지화공예(紙花工藝) : 한지를 염색하여 꽃을 만들어 장식하는 방식
- 닥종이 인형 : 한지를 여러 겹 찢어 붙여 인형을 만드는 방식
- 한지 조명 : 한지에 그림이나 문양을 올리거나 그림을 그리는 등 다양한 방법으로 꾸미는 방식

3) 한지이야기

한지는 민화와 한지공예에 사용되는 기본 재료입니다.
양질의 한지 선택은 작품의 질을 좌우하는 역할을 합니다.

<한지 제조 과정>

한지 뜨기는 한국 전통 종이인 한지를 제작하는 복잡하고 정교한 수작업 과정이 수반됩니다. 이 과정은 몇 단계로 나눌 수 있는데, 닥나무에서 시작하여 한지가 완성될 때까지 상당한 시간과 정성이 필요합니다.

- 닥나무 채취 : 매년 11월과 12월에 1년생 햇닥나무를 채취합니다. 이 시기에 채취된 닥나무는 옹이가 없어 한지 제작에 이상적입니다.
- 닥무지 과정: 쌓아둔 닥나무를 증기로 쪄서 겉껍질인 흑피가 쉽게 벗겨지도록 합니다.
- 껍질 벗기기 : 외피인 흑피를 벗기고 이어서 청피를 벗겨내면, 마지막으로 나타나는 백피가 실제 한지 제작에 사용되는 섬유입니다.
- 백닥 만들기 : 백피를 말리고, 표백하며, 잿물에 삶아서 백닥이라는 섬유 원료를 얻습니다.
- 고해과정 : 섬유질인 백닥을 두드려서 섬유를 푸는 작업을 한 뒤 닥죽을 만듭니다.
- 해리과정 : 고해로 얻어진 닥죽과 닥풀을 물에 고르게 풀어주어 한지를 뜰 준비를 합니다.
- 황촉규(닥풀) : 황촉규 풀의 뿌리를 짓이기면 점액이 나오는데, 이를 닥풀이라 합니다. 닥풀은 산성이 아닌 중성이기에 한지가 산화되지 않고 오래 보존될 수 있습니다. 끈끈함이 닥의 섬유

질을 단단히 잡아주는 역할을 합니다.

- 외발 뜨기 : 한지를 뜰 때 사용되는 방식으로, 전후좌우 4방향으로 한지를 뜨면서 종이를 만듭니다. 흘림뜨기라고 합니다.
- 쌍발 뜨기 : 물을 가둬서 뜬다고 하여 가둠뜨기라고 합니다.

- 종이 말리기 및 도침 : 물기가 빠진 한지를 열기로 말리고 무거운 돌이나 도자기로 두드려 밀도를 높이고 지질을 치밀하게 합니다. 종이에서 윤기가 나고 섬유질이 치밀해져서 종이의 품질이 향상됩니다. 현대에는 이 도침 방법을 생략하지만, 주로 고급종이가 필요할 경우 주문제작 합니다.

- 2합, 3합 장지 : 한지를 뜨는 과정에서 2장, 3장 겹쳐서 떴을 때를 말합니다. 보통 1합이나 2합 장지를 사용하여 그림을 그립니다. 한지를 뜨는 과정에서는 풀을 사용하지 않고 뜨지만, 건조된 한지는 풀을 이용하여 한지를 붙여 사용합니다.

- 한지의 표백과정에서 자연 표백할 경우 미색을 띠고, 은은한 광택이 납니다. 하지만 현대에 와서 비용 절감과 시간 단축, 불순물 제거과정을 단순화하기 위해 화확 약품을 사용합니다. 이때 닥피의 양이 줄어들어 펄프를 추가하게 됩니다. 한지 고유성이 줄고 광택이 나지 않고 질이 떨어질 수 있는 요인이 됩니다.

chapter 2. 민화 인테리어 소품을 위해 이 재료만 준비해 주세요

민화 인테리어 소품제작을 위해서 꼭 필요한 준비물이 있습니다. 이번에 소개하는 조명제작과정에서 주로 사용되는 재료는 주변에서 가까운 화방이나 지업사 또는 온라인 쇼핑몰에서 쉽게 구할 수 있는 도구나 재료들로 구성하였습니다.

■ 민화 조명 제작에 필요한 준비물 ■

민화 재료, 도안 구입 처 : 율아트 yulart.co.kr

보명필방 : 보명필방.com

민화도안 무료 사이트 : 한국예술디지털아카이브

http://www.daarts.co.kr

조명재료 구입처 : 손잡이닷컴　www.sonjabee.com

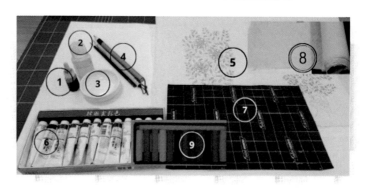

① 먹물 (소), ② 아교수 (소)

③ 물감 접시 (소) : 3~4개

④ 붓(세필 붓, 채색 붓, 바람 붓) 각 1개씩

⑤ 도안

⑥ 동양화물감(튜브형)

⑦ 먹지 1장

⑧ 아교포수 된 한지 1장

⑨ 봉채물감

※ 모든 재료는 처음부터 많은 양의 재료를 구매하기보다는 소량을 구매하여 사용해 본 후 작품에 적합한 재료를 사용하도록 권합니다. 특히, 물감은 제조사 별 색감이 현저하게 차이가 납니다.

<조명재료 ① >

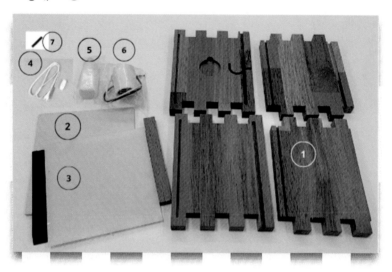

① 조명 틀(멀바우 목)

② 뒤판

③ 광 확산 아크릴판 1개(22cm×22cm×2mm)

④ 무접지 전선 코드 1.5m, 중간스위치

⑤ 타이트본드(목공용본드) 12ml

⑥ PBT-플라스틱 내열소켓

⑦ 열수축 튜브 4mm(5cm)

<조명재료 ② >

① 아크릴판(두께 3mm)

　　앞·뒤판 250mm × 280mm × 2장

　　옆판 245mm × 70mm × 2장

　　위·아래 280mm × 70mm × 2장

② 순간접착제

③ 종이테이프

④ 좌대 : 2절 합지 1장 (3mm두께)

<한지 선택>

그림을 그릴 때 기본 재료가 되는 한지는 미세한 차이가 있습니다. 먹 번짐이 많이 되는 한지보다는 번진 정도가 작아야 도안 뜨기에 적합합니다.

민화를 그리는 한지는 아교포수를 해서 물감이 번지지 않고 종이에 고착되도록 합니다. 아교포수는 직접 교반하여 포수 하는 방법과 미리 아교포수 된 한지를 구매하여 사용합니다. 그림을 그리는 과정에서 어려움 없이 순조롭게 마무리를 짓고자 한다면 질 좋은 종이를 선택합니다.

<아교포수하는 방법>

준비물 : 물 500mL, 알 아교 7~8g, 백반 5g, 넓은 평붓, 500mL 이상의 그릇, 유리병이나 도자기 컵

① 유리병 또는 도자기 컵에 알아교 7~8g과 물 200mL를 섞어 약 4시간 이상 불립니다.

② 나머지 물 300mL를 끓인 후 ①번의 불린 아교를 넣어 중탕으로 녹입니다.

③ 아교가 녹으면 ①번과 ②번을 섞어줍니다. 이때 ②번 물을 약간 덜어 백반을 녹인 후 같이 섞어줍니다.

④ 담요를 깔고 그 위에 한지를 펼쳐놓습니다.

⑤ 완성된 아교액이 약 70도 정도 되었을 때 아교포수를 합니다. 평붓에 아교액을 충분히 적신 다음 한 방향으로 고르게

칠합니다. 종이에 아교수가 충분히 흡수되도록 칠합니다. 순서는 가로 방향(왼쪽→오른쪽), 세로(위→아래), 대각선 방향으로 붓질을 합니다. 마무리된 종이는 젖은 상태에서 즉시 다른 곳으로 옮깁니다. 빨래집게를 이용하여 끝부분만 집어서 말리거나, 천을 깔고 널어 말립니다. 옮기지 않을 시 바닥에 묻은 아교액의 얼룩이 질 수 있습니다.

<바탕색 칠하는 방법>

바탕색을 내는 재료는 치자 열매, 오리나무 열매, 튜브물감, 커피 등이 있습니다. 치자 열매와 오리나무 열매는 끓인 후 염액을 걸러 사용합니다. 물감은 튜브형 동양화물감을 사용합니다. 치자 열매는 노란색이 나오고, 오리나무 열매는 갈색이 납니다. 본인의 취향이나 그림에 따라서 적절하게 섞어서 사용할 수 있습니다.

① 아교포수하는 과정에서 하는 방법

아교수와 섞어서 사용합니다. 이 과정에서는 물의 양을 조절하여 아교수가 묽어지지 않도록 해야 합니다.

② 아교포수 후에 하는 방법

도안을 뜨고 난 후 그림에 맞는 바탕색으로 칠합니다.

③ 그림을 완성하고 염색하는 방법

오리나무 열매를 끓여 식힌 후 뒷면, 앞면에 원하는 색이 나올 때까지 합니다. 앞면(그림 그려진 부분)에 칠할 때는 물감이 묻어날 수 있으니 주의합니다. 이때에도 아교포수 과정에서처럼 한쪽씩 칠할 때마다 다른 곳으로 옮겨 말려줍니다. 그림에 무게감을 주거나 채도를 낮추고자 한다면 이 과정에서 합니다. 간혹 너무 진한 색으로 나와서 전체적인 명암이 다운될 수 있습니다. 화조도처럼 맑은 그림은 연한 색으로 하거나 ①번이나 ②번 단계를 추천합니다. 염색은 미리 다른 종이에 해서 말린 상태를 보고 적당한 색이 나왔을 때 선택합니다. 그리고 염액은 충분히 준비하여 작업 도중에 모자람이 없어야 합니다.

<도안 뜨는 순서>

순서는 정해져 있지 않으나, 그림에 맞는 방법을 선택한다면 완성도 높은 그림이 될 것입니다.

① 먹으로 도안을 뜨고 아교포수를 하는 경우

산수화나 배경이 되는 그림 또는 먹의 농도를 줘야 하는 그림에는 아교포수 전에 도안을 떠야 합니다.

② 아교포수를 하고 도안을 뜨는 경우

아교포수는 번거롭고 시간이 많이 소요되므로 보통 한꺼번에 합니다. 주변의 습도나 온도에도 영향을 주기 때문에 좋은 환경일 때 많이 해둡니다. 보통 산수화를 제외한 그림에 많이 사용합니다.

■ 거울제작에 필요한 준비물 ■

거울제작에 필요한 준비물에는 기본 도구들도 꼭 있어야 작업할 수 있습니다.

합지를 재단하기 위한 커팅 매트 크기는 최소 60cm×90cm 이상 되어야 2절지의 합지를 재단하기에 불편함이 없습니다. 합지의 크기보다 커야 안전합니다. 또한, 합지를 재단하는 쇠 자와 문구용 칼이 있는데요. 플라스틱 자는 자를 때 무게감도 덜 주고, 잘못하면 눈금이 칼로 잘리는 경우가 있는데, 되도록 쇠 자를 사용합니다. 칼은 분명히 고정장치가 되는 칼이 안전합니다. 합지의 두께가 3mm 정도의 두께가 있어 한 번에 자를 수 없고 여러 번에 거쳐서 절단해야 합니다. 또한, 파선이 생기지 않기 위해 일어서서 작업해야 손목에 무리가 없습니다.

칼라 탈색을 위한 한지와 일반 색깔 한지는 다르니 꼭 확인한 후 구매해야 합니다.

이번에 다룰 내용 중 핵심은 한지의 선택입니다. 기본 재료가 한지이기 때문에 탈색 후의 색상을 확인한 후 구매합니다. 한지 또한 제조사별 염색과정이 다릅니다. 필요한 색상의 한지가 있다면 한꺼번에 여유 있게 구매해야 합니다. 간혹 작품제작 시 한지색상이 부족하여 추가 구매할 경우 색상이 달라서 작품의 완성도가 떨어질 수 있습니다.

닥나무로 만들어진 한지는 그 쓰임새도 다양합니다. 공예품에서 의류, 식품, 건축자재 등 생활 전반에 거쳐서 사용되고 있습니다. 우리 선조들이 그림이나 글씨를 쓰고 남은 한지도 버리지 않고 자르고 엮어서 사용했던 지승공예가 있고, 종이 죽을 만들어 함지박을 만들어 사용하는 지호공예, 종이를 여러 겹 배접하여 문양을 올린 후 아름답게 장식하는 색지공예, 또 장식장에 한지를 붙인 후 그림을 그려 넣어 장식하는 지화 공예 등 오랫동안 전해 내려오는 우리 문화유산입니다. 이번에 선보일 빈티지한 거울도 현대적인 지화공예에 속한다고 볼 수 있겠습니다.

거울제작에는 민화에 필요한 안료를 쓰지 않고 아크릴물감을 사용하였습니다. 이는 아교포수하지 않고도 한지에 작업할 수 있어 번거로운 과정을 간소화하였습니다. 이 방법을 익혀서 나무, 고무, 의류, 벽화 등 아크릴물감을 사용할 수 있는 다른 소재에 활용할 수 있습니다.

<재료구입처>
한지공예 재료 구매 : 한지이야기 www.hanjistory.com
합지, 마감재, 목공용본드, 붓, 쇠자 등
두리한지공방 ; www.doorihanji.co.kr
고려풀 : 손잡이닷컴 www.sonjabee.com

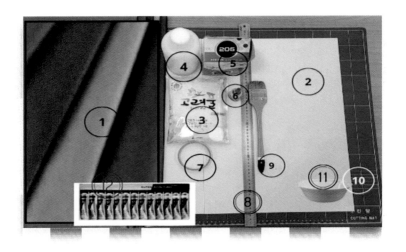

① 탈색용 한지 : 4~5가지 색상 각 1장씩

② 합지; 3mm 2절 2매(540mm × 780mm)

③ 풀; 가루 풀

④ 마감재; 한지공예용 수성 마감재(유광)

⑤ 목공용본드 205호

⑥ 순간접착제

⑦ 종이테이프

⑧ 쇠자; 60cm

⑨ 붓; 풀칠용

⑩ 커팅매트; 90cm × 60cm

⑪ 플라스틱 용기; 풀 그릇

⑫ 아크릴 물감

chapter 3. 집안 분위기 180도 바꿔주는 민화 조명 만들기 I

한지를 통해 은은하게 비춰주는 간접 조명은 심리적 안정을 줍니다. 여기에 민화를 넣어 감상하는 재미를 더합니다.

민화는 선, 색, 바림을 매우 중요시합니다. 마지막까지 완성도 높은 그림은 이 세 가지를 염두에 두고 작업을 합니다. 하지만, 이번 작업과정에서는 종이에 전통 채색을 해서 그림만을 그리는 과정이 아니라 인테리어 소품제작을 주목적으로 하므로 상황에 따라 다소 생략하거나 이해를 돕기 위해 좀 더 쉬운 방법으로 소개하겠습니다.

1) 한지에 도안 그리기
두 가지 방법을 소개합니다.

[방법 1]
- 아교 반수 된 종이(사방 2cm 여유 있게 재단) 위에 먹지를 올리고 그 위에 도안을 올려놓습니다.
- 움직이지 않도록 핀이나 테이프로 고정합니다.
- 볼펜으로 도안을 그립니다.
- 바탕에 볼펜 자국 외에 다른 선이 나오지 않도록 합니다.

[방법 2]

- 도안 위에 순지를 올려놓고 먹으로 도안을 뜹니다. (세필 붓을 사용하여 가늘게 선을 그려 줍니다.)

- 아교포수하여 건조합니다.

2) 채색하기

<꽃 채색하기>

- 주황색 물감에 호분을 약간 넣어 채도를 낮춘 다음 물과 교착제를 한두 방울 넣고 잘 섞어 바탕색을 칠합니다. 처음부터 원본의 색과 같이 칠한다면 완성했을 때는 색이 진하고 탁한 색이 나옵니다. 여러 차례 반복하여 칠하기 때문에 옅게 시작합니다.

- 교착제(바인더)는 채색 시 물감이 번지지 않고 물감이 잘 고착 되도록 하는 기능을 합니다.)
- 채색은 붓에 물기가 너무 많으면 경계선 밖으로 번질 수 있으 니, 접시에서 물감을 잘 섞은 후 접시 끝부분에서 물감을 어느 정도 **빼준** 후 채색합니다.
- 다음 단계의 색을 칠할 때는 건조된 후 채색을 합니다. 바탕색 이 고르게 되었는지 잘 살펴봅니다. 바탕색을 엷게 해서 2~3 회 채색하여 바탕색이 보이지 않아야 합니다.

다음 그림 왼쪽은 1차, 오른쪽 그림의 왼쪽 꽃 1개는 2차 채색 한 상태입니다.
- 물감 색상에 따라 채색 후, 건조가 되었는데도 잘 묻어나는 물 감이 있습니다. 그중 하나가 주황색 물감입니다. 이 경우 교착 제를 활용한다면 도움이 됩니다. 하지만 교착제를 과하게 사용 한다면 얼룩이 지거나 바림이 자연스럽지 않게 됩니다.

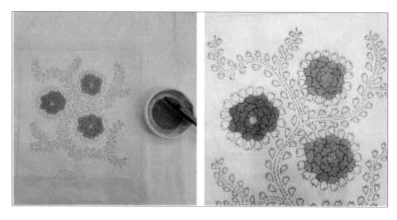

- 바탕색이 건조된 후에 꽃의 명암과 입체감을 주기 위해 연지색으로 바림을 합니다. 꽃잎 하나씩 하는데, 연지색을 꽃잎의 안똑에서 3분의 1 정도만 칠한 후 2분의 1까지 바림붓으로 끌어서 엷게 펼쳐줍니다. 꽃잎이 작으므로 작은 붓을 사용합니다. 바림붓은 깨끗한 물에 헹구어 물기를 적당히 없앤 후 사용해야 합니다.

(민화에서 '바림'이란 그러데이션 하듯이 진하게 표현하고자 하는 부분부터 엷은 색 방향으로 자연스럽게 펴 바르는 것을 말합니다.)

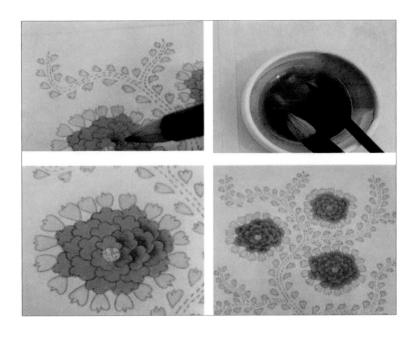

- 건조된 후에 연지색에 먹을 약간 넣어 덧선(윤곽선)을 그려 마무리 합니다. 붓은 선을 긋는 세필붓을 사용합니다.
- 중앙에는 노란색을 칠한 후 꽃의 윤곽선과 같은 선으로 그립니다.
- 윤곽선의 색은 정해져 있지 않으나 바림하는 색을 기준으로 하여 약간 진한 정도라면 어울리는 색이라 할 수 있습니다.
- 기본 밑그림을 그리는 단계에서는 가늘게 선이 나오도록 표현해야 마무리 짓는 윤곽선이 아름답게 나옵니다.

<나뭇잎 채색하기>

- 바탕색은 황토색 봉채를 엷게 해서 나뭇잎 전체에 칠합니다.
- 건조된 후 봉채 녹청과 봉채 군청을 약간 섞어 나뭇잎이 시작
  되는 부분에서 바림합니다.
- 줄기는 엷은 봉채 대자색을 1~2회 칠합니다.

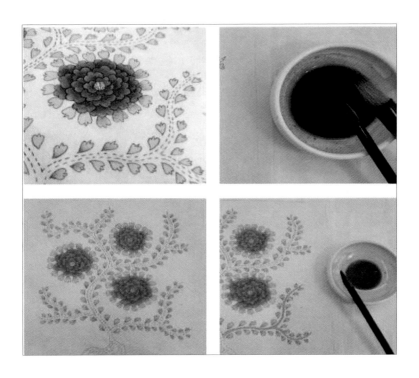

- 나뭇잎 잎맥이나 흐릿한 부분은 중간 먹으로 마무리 선을 그
  려줍니다.
- 나무 줄기는 중먹으로 점선을 그어 줍니다.
- 나뭇잎 끝부분은 주황색으로 끝부분만 점을 찍듯이 포인트를
  줍니다. (오른쪽 아래 그림)

※ 민화 채색 시 주의할 점; 보통 민화는 채색을 여러 번 하는데,
조명에 쓰일 그림은 아주 옅고, 은은하게 하여야 합니다. 조명을
켰을 경우 색이 진하면 어둡게 보일 수 있으며, 붓 자국이 나서
아름답지 않습니다.

<조명 판 붙이기>

- 아크릴판에 목공용본드와 물을 약간 섞어서 고르게 칠한 후 말립니다.

- 건조된 아크릴판에 한지공예용 풀을 칠한 다음 완성된 그림을 붙입니다.

- 그림을 그릴 때 여유 있게 한지를 재단하여 붙였다면 말린 다음 칼로 재단하면 깔끔하게 잘립니다.

- 참고사항 : 그림 그린 한지가 너무 얇다면, 아크릴판에 초배지를 먼저 붙여서 말린 다음 그림을 붙입니다. 너무 두껍지 않은 그림과 같은 한지라면 적당합니다. 빛의 투과율이 적당해야 은은함과 깊이감이 더 생깁니다.

3) 조명 조립하기

박스 규격

가로 24.3cm × 높이 24.3cm × 깊이 14cm

두께 1.5cm

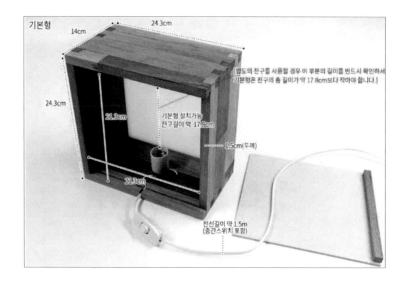

- 나무틀이 교차하는 부분(암, 수)에 목공용본드를 칠한 후 서로 맞물리도록 끼워 맞춥니다. 한번 끼워 맞추면 잘 빠지지 않으니 순서대로 잘 맞춰서 조립합니다.

- 바닥과 왼쪽, 오른쪽을 끼워 맞춥니다. 망치로 살살 두드려 직각이 되도록 합니다. 너무 세게 하면 나무가 손상되니 주의합니다.

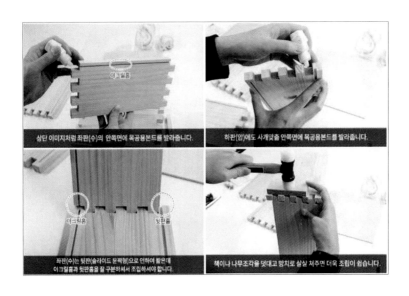

상단 이미지처럼 좌판(수)의 안쪽면에 목공용본드를 발라줍니다.

하판(암)에도 사개맞춤 안쪽면에 목공용본드를 발라줍니다.

좌판(수)는 뒷판(슬라이드 문짝형)으로 인하여 짧은데
아크릴홈과 뒷판홈을 잘 구분하셔서 조립하셔야 합니다.

책이나 나무조각을 덧대고 망치로 살살 쳐주면 더욱 조립이 쉽습니다.

- 바닥에 소켓을 설치합니다.
- 내열 소켓 전선을 약 5cm 남기고 잘라 주세요 → 전선 피복
  을 합니다 → 열수축 튜브를 적당한 크기로 잘라 끼워줍니다
  → 전선 코드 선과 연결한 후 열수축 튜브를 중앙으로 하여
  구리선이 보이지 않도록 감싼 후 라이터로 가열하여 고정합니
  다.(열수축 튜브가 없다면 절연 테이프로 대체합니다)

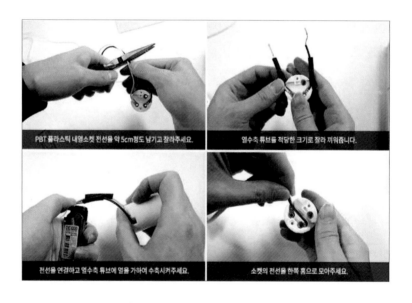

- 연결된 소켓은 바닥 홈에 넣고, 망치로 살짝 두드리면 고정이 됩니다. 전선은 바닥에 파인 홈 안으로 넣어 밖으로 빼냅니다.
- 이 때 문을 여닫을 수 있도록 전선이 돌출되지 않아야 합니다.

- 앞부분에는 그림이 들어간 아크릴판을 넣어 조립합니다. (그림 은 미리 붙여 건조된 상태여야 합니다.)

- 중간스위치도 사용하기 편한 위치를 선택한 후 전선 코드를 잘라 줍니다. 전선 피복을 합니다. 중간스위치 커버를 열어 코드선과 소켓 선을 연결합니다. 스위치의 on/off 확인 후 뚜껑을 닫아 나사로 마무리합니다.

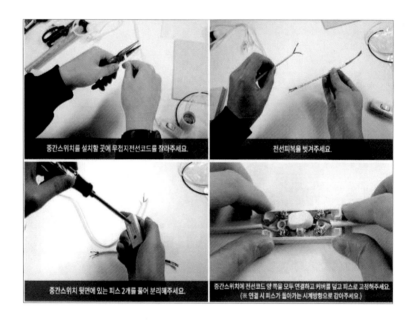

중간스위치를 설치할 곳에 무접지전선코드를 잘라주세요.

전선피복을 벗겨주세요.

중간스위치 뒷면에 있는 피스 2개를 풀어 분리해주세요.

중간스위치에 전선코드 양쪽을 모두 연결하고 커버를 덮고 피스로 고정해주세요.
(※ 연결 시 피스가 돌아가는 시계방향으로 감아주세요.)

- 뒤판 손잡이 부분을 목공용 본드로 붙여 마무리합니다.
  손잡이는 중앙을 맞춰 여닫을 때 걸리지 않도록 합니다.
- 문 끝부분을 사포로 가볍게 밀어준다면 쉽게 여닫을 수 있습니다.

상판의 아크릴홈, 뒷판홈에 맞춰 목공용본드를 발라 조립해줍니다.

양쪽 사개맞춤 부분에 잘 맞게 살짝 끼우고 양측을 번갈아가며 망치로 살살 쳐주면 쉽게 조립할 수 있습니다.

뒷판을 끼워줍니다. [뒷판은 전구를 교체할때 쓰입니다.]
(※ 뒷판은 슬라이드형으로 빽빽할 경우 사포로 다듬어주세요.)

뒷판 손잡이 넓은 부분에 목공용 본드를 발라줍니다.

1) 손잡이닷컴

전구는 전구색(노란색), 주백색(아이보리색), 주광색(흰색) 세 가지
가 있습니다. 전구색을 나타내는 Kelvin 값이 낮을수록 노란빛,
높을수록 하얀빛에 가깝습니다. 즉, 전구색은 백열전구와 같은
색을 띠고 있기에 노란빛이 나고, 주광색에 비해 밝은 정도는 덜
하지만 따뜻하고 편안한 느낌의 색상을 주어 분위기 연출에 탁
월합니다. 때로는 계절에 따라 다르게 연출할 수도 있습니다. 더
운 여름에는 시원한 느낌과 밝은 느낌을 원하신다면 주광색을
사용하셔도 됩니다.

---

1) https://www.sonjabee.com/

완성된 모습입니다.

전원 ON/OFF 상태에 따라 다른 분위기입니다.

chapter 4. 집안 분위기 180도 바꿔주는 민화 조명 만들기 Ⅱ

1) 조명 조립하기

조명 박스

소재 : 아크릴판

가로 28cm × 높이 25cm × 깊이 7cm

두께 3mm

좌대

소재 : 합지

가로 28cm × 세로 7cm × 깊이 7cm

두께 5mm

- 아크릴판의 한쪽 면에 붙어있는 비닐을 제거합니다. (안쪽)
- 종이테이프를 이용하여 바닥 판을 제외하고 형태를 만듭니다.

 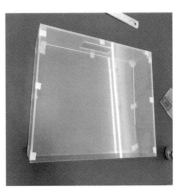

8cm 3cm

4.5

- 순간접착제를 이용하여 각각의 모서리 내부에 적당량을 흘려서 접착합니다. 밖으로 흘러나오지 않도록 주의합니다.
- 바닥판(아래)을 끼워 맞춘 후 겉에서 순간접착제로 붙입니다.

 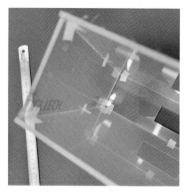

- 아크릴판이 접착되었다면 종이테이프를 제거합니다.
- 아크릴판 겉면에 붙어있는 비닐을 제거합니다.

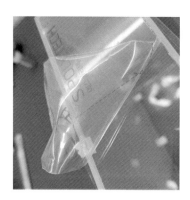 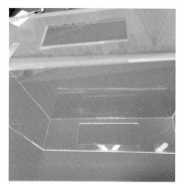

- 조립된 겉면에 목공용본드와 소량의 물을 섞어 칠합니다.
- 한쪽씩 말리면서 칠합니다.

<좌대 조립하기>

㉠ 합지 28cm × 7cm × 3장 - 두께 5mm

㉡ 합지 6cm × 7cm × 2장 - 두께 5mm

- ㉠의 1장을 바닥으로 하여 2장을 끝부분에 맞추어 세워 붙입니다.
- ㉡의 옆판을 세워 붙입니다.
- 박스를 세워 놓고 코드 선이 통과될 부분을 표시하여 송곳으로 구멍을 냅니다.
- 위의 소켓 자리도 구멍을 냅니다.

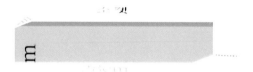

<좌대 완성된 모습>

- 골격을 조립한 후 한지를 붙여 탈색합니다.
- 소켓과 전선 코드가 위치할 부분을 송곳으로 구멍을 내고 연
  결합니다.

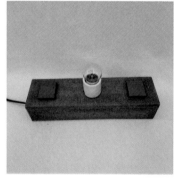

2) 한지 붙이기

아크릴판이 완전히 건조된 후 순지를 재단하여 붙입니다.

건조한 후에 위와 아래를 잘라냅니다. 윗부분은 조명의 열을 발산하고,

아래는 전구가 들어갈 부분입니다.

3) 민화 그리기

한지 붙인 조명 박스는 건조한 후 아교포수를 합니다. 구도에 맞게 배치한 다음 먹지를 바닥에 깔고 그 위에 도안을 올려놓습니다. 움직이지 않도록 종이테이프로 고정한 다음 볼펜으로 눌러서 그립니다.

<채색하기>

조명의 불빛을 잘 표현하기 위해 채색은 맑고 은은하게 합니다.

주로 봉채물감을 사용합니다. 간혹 진한 채색으로 인하여 조명을 켰을 때 빛의 투과가 되지 않고 어두운 느낌이 날 수 있습니다. 또 바림을 할 때에도 얼룩이 생기지 않도록 주의해야 합니다.

- 나비, 가지, 여치 : 바탕색에 흰색을 칠합니다.

- 가지 잎, 뱀딸기 잎 : 녹청 봉채 + 호분 약간 + 황토색 봉채 약간

- 개미, 나비 : 진먹

- 뱀딸기 : 주황 봉채

- 가지 : 군청 봉채 + 연지 봉채 + 호분 약간

- 여치 : 녹청 봉채 + 등황

- 보라색 가지 : 보라색으로 바림

- 흰색 가지 : 호분 + 백록 약간

- 붉은 나비 : 주황 바림

- 흰 나비 : 군청 바림

 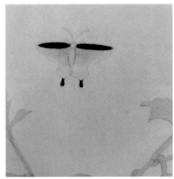

- 초록 잎 바림 : 녹청 + 군청 약간 바림

- 가지는 3차 바림까지 합니다.
- 바닥 표현 점 찍기: 대자 + 먹 약간
- 바닥 배경 : 대자 + 먹 소량 바림
- 초록 잎 2차 바림

<덧선 그리기>

- 가지 : 보라 + 먹 약간

- 여치 : 먹

- 풀 그리기 : 봉채 황토를 칠한 붓에 끝부분만 녹청을 약간 찍어
  그리면 위와 아래의 색이 달라 보입니다.

- 여치 앞부분의 풀도 그립니다.

 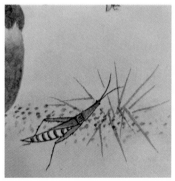

- 흰나비 : 군청 + 먹 약간
- 붉은 나비 : 주 + 먹 약간

- 완성된 그림입니다.

조명이 꺼진 상태입니다.

조명이 켜진 상태입니다.

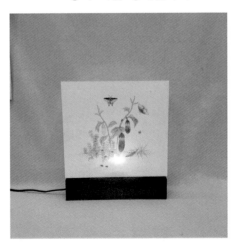

< 응용사례1 >

< 응용사례2 >

chapter 5. 인테리어의 끝판왕, 민화 벽걸이 거울 만들기

아름다운 민화를 이용하여 현대적 감성이 느껴지는 거울을 만들어 볼까요?

이번에는 빈티지한 표현을 내 취향에 맞게 내 맘대로 할 수 있습니다.

1) 기본골격 제작하기
3mm 두께의 2절지 크기의 합지 2장을 준비합니다.
앞판 1장, 뒤판 3장을 재단합니다.

거울 골격 조립하기

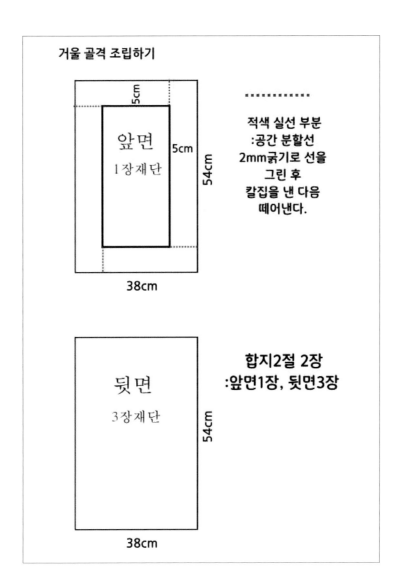

앞면
1장재단

5cm

5cm

5cm

54cm

38cm

적색 실선 부분
:공간 분할선
2mm굵기로 선을
그린 후
칼집을 낸 다음
떼어낸다.

뒷면
3장재단

54cm

38cm

합지2절 2장
:앞면1장, 뒷면3장

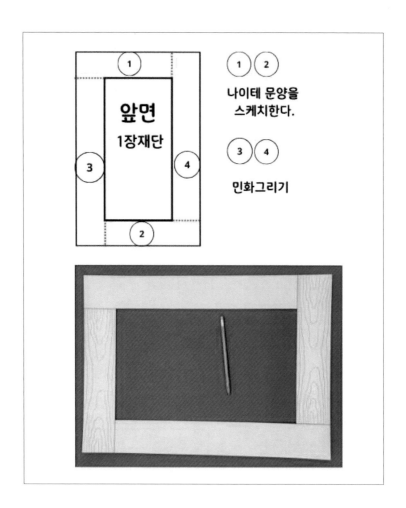

앞면

1장재단

① ②

나이테 문양을
스케치한다.

③ ④

민화그리기

- 합지를 재단합니다.
- 거울이 들어갈 홈을 만들어 칼로 재단합니다.
- 네 귀퉁이 선이 교차하는 지점에 칼집을 넣어 떼어냅니다.

- 나이테 문양을 스케치합니다.
- 나이테 문양에 사용되는 칼은 고정장치가 되는 안전한 칼을 사용하며, 꼭 장갑을 끼는 것을 권합니다.
- 칼을 손에 쥐는 모양은 주먹을 쥐듯이 하며, 일어서서 하면 손목에 힘이 덜 들고 무게 중심으로 인하여 칼날이 원하는 방향으로 순조롭게 진행됩니다. 나이테 문양의 스케치한 선을 따라 칼날의 방향이 엇비슷하게 사선으로 긋되 한 번에 그어야 파선이 나지 않고 한지를 붙였을 때 모양이 납니다.
- 완성된 나이테 문양은 손으로 만졌을 때 입체감이 생겨서 살짝 올라와야 합니다.

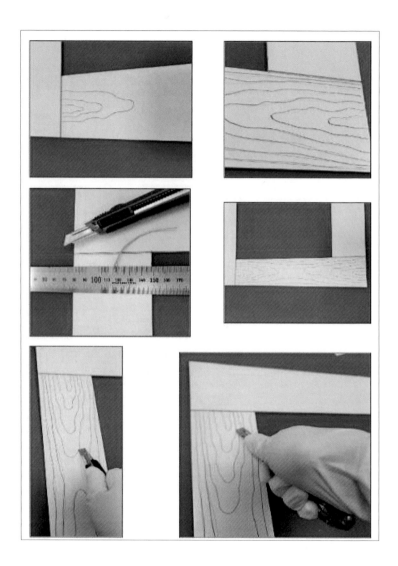

<골격 조립하기>

재단한 합지 뒷면 3장을 붙여야 하는데요, 목공용본드에 물을 약간 섞어 붓으로 고르게 펴 바른 후, 가장자리 부분과 모서리, 중앙에 순간접착제를 몇 방울씩 떨어뜨려 잘 접착될 수 있도록 네 귀퉁이를 맞추어 붙인 다음 손으로 문질러서 다시 한번 눌러줍니다. 처음 두 장을 먼저 붙인 후 나머지 한 장도 같은 방식으로 목공용 본드와 순간접착제를 사용하여 붙입니다.

이어서 앞면 거울 틀이 되는 부분도 위에 올려붙입니다. 거울 틀은 거울 쪽이 벌어질 수 있으니 순간접착제를 고르게 떨어뜨려 잘 붙도록 합니다.

다음은 종이테이프를 이용하여 합지를 묶어 주듯이 전체적으로 앞판에서 뒤판으로 감싸서 붙이는데 3~4cm 길이면 적당합니다. 전체 틀이 조립된 후에는 접착제가 완전히 굳을 때까지 수평이 유지된 곳에 올려놓고, 무게감이 있는 물건을 올려놓습니다. 합지의 재질은 종이이기 때문에 쉽게 휘어질 수 있으니 무게가 고르게 분산될 수 있는 물건을 올려두면 좋습니다.

2) 한지 붙이기

한지를 붙이기 전에 골격에 붙인 종이테이프는 꼭 제거해야 합니다. 그 위에 한지를 붙인다면 종이테이프의 모양이 그대로 드러납니다.

① 한지재단

- 탈색용 색한지는 테스트를 한 다음 전체적인 구상을 고려하여 배치합니다.
- 탈색 전과 후의 색상이 다르므로, 본인의 취향 또는 어떤 그림을 그려 넣어 채색할 것인지에 다라서 색상을 선정해야 합니다.
- 한지재단은 골격 크기보다 1~2cm 여유 있게 재단을 합니다.
- 거울이 들어갈 부분 안쪽으로 1cm 여유분을 주어 재단하고, 앞면에서 뒷면으로 넘겨서 2cm 정도 여유 있게 재단합니다.
- 색이 서로 만나는 곳에서는 여유를 두지 않고, 합지를 파낸 경계선에서 교차할 수 있도록 정확하게 재단합니다.
- 뒷면은 여유분 없이 같은 크기로 재단합니다.

② 한지 붙이기

- 물풀을 미리 준비해둡니다.
  찬물 250mL에 25g 정도의 가루 풀을 넣고 3분간 저어 줍니다.

15분 후에 점성이 있는 투명한 풀이 되는데, 묽은 정도를 보아 끈적임이 있는지 상태를 확인한 후 물의 양을 조절하여 사용합니다. 이때 만들어진 풀에 가루풀을 넣으면 굳어지기 때문에, 풀이 묽다면 다시 만들어서 섞으면 됩니다.

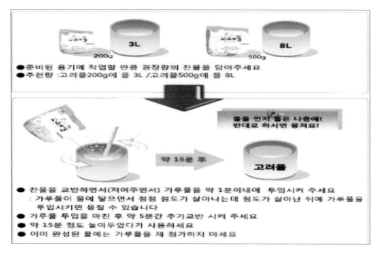

2)손잡이닷컴

- 풀을 잘 저어 줍니다.
- 먼저 나이테 문양이 있는 부분에 한지를 붙입니다. 거울 쪽과 뒷면으로 넘어갈 쪽 모두 골격에 풀칠합니다.
- 재단한 한지의 거친 부분(뒷면)에 풀칠한 후 골격에 올려놓습니다. 매끈한 면이 위로 올라오도록 합니다.
- 홈 파인 경계선에 맞추고, 거울 쪽에는 1cm 정도 들어가도록 한 후 그 위에 풀칠합니다.
- 구둣솔이 있다면 살짝 두드려 준 다음 손으로 문질러 주면 효과적으로 나이테 결을 느낄 수 있습니다.

- 붙인 한지는 손으로 문질러서 공기를 빼주고 합지와 한지가 잘 붙도록 밀착시켜 주어야 합니다. 거울 쪽에 각진 부분은 손톱으로 눌러 공기를 뺀 후 붙입니다. 뒷면으로 넘긴 한지는 끝부분을 손으로 뜯어서 마무리 짓습니다.
- 한지 붙이는 순서는 나이테 문양 부분 2곳 → 나머지 2곳 → 뒷면 순으로 붙입니다.

- 한지 색상이 강하지만 탈색 후의 색상은 달라집니다.

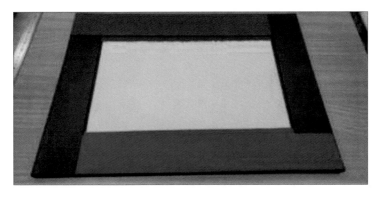

- 거울이 들어가는 안쪽 부분은 한지를 붙이지 않고 풀칠만 합니다.
- 뒷면 붙이는 방법; 면적이 넓은 부분에 한지를 붙일 때는 한 번에 맞춰 붙이기가 어려울 때가 있습니다. 이때 골격 위에 마른 한지를 맞춰 올려놓고 한지를 반으로 접어 중앙을 표시한 다음 합지 바닥에 절반만 풀칠한 후 한지에 풀칠하여 붙인 다음 반대쪽을 붙인다면 틀어짐이 없이 쉽게 붙일 수 있습니다.
- 젖은 상태에서 너무 많이 한지를 만지거나 기온이 높은 여름철에는 쉽게 보풀이 일어 건조 후에 표면이 거칠어집니다. 마무리한 골격은 반듯한 곳에 놓고 건조 시킵니다.

- 완전하게 건조된 상태에서 뒤틀림이 있는지 꼭 확인해야 합니다. 만일 틀어졌다면, 무게감이 있는 물건을 올려 눌러준 다음 바로 잡아야 합니다. 반듯하지 않다면 거울을 붙였을 때 튀어나올 수 있습니다.

3) 빈티지한 배경 표현하기

탈색제는 시중에 판매하는 '락스'를 이용합니다. 고무장갑을 착용한 후 탈색제를 극세사 수건에 묻힙니다. 빨래 짜듯이 짠 다음 신문지에 펼쳐놓고 돌돌 말아 한 번 더 짜 줍니다.

탈색은 한 번에 하지 않고 스치듯이 서서히 합니다. 원하는 색이 나올 때까지 하는데, 이때 1~2분 정도 지나야 알 수 있습니다. 성급하게 문질러서 너무 밝은 색이 나오지 않도록 해야 합니다.

- 빨강 한지가 다른 색으로 변화되는 것 보이시나요?

- 진녹색의 나이테 문양이 칼집을 넣은 상태로 표현되었습니다.

- 그림의 배경이 되는 부분을 원하는 대로 밝기 조절할 수 있습니다.

- 너무 밝게 빠졌다면? 다시 한지를 붙여 건조한 후 다시 탈색합니다.

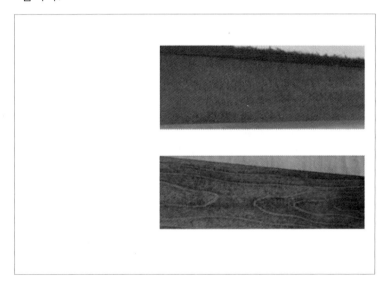

파란색의 한지는 더욱더 신비스러운 색상으로 바뀝니다. 이번 과정에서는 4칸으로 분할 했지만, 여러분은 다양한 변화를 줄 수 있습니다. 직각이 아닌 사선으로 넣을 수 있고 나이테 문양을 좀더 넣을 수도 있습니다. 칸이 많아진다면 색상을 다양하게 넣을 수 있지만 한지가 겹치는 부분에서 깔끔하게 처리해야 하는 번거로움이 있습니다.

여러 가지 색상을 사용하여 조각보처럼 하고자 한다면 한지 색을 밝은색부터 붙여야 경계선이 깔끔하게 정리됩니다.

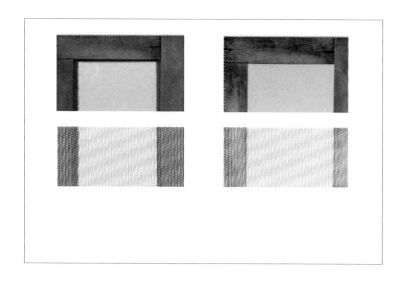

4) 도안 그리기

탈색한 후 배경이 될 부분(나이테가 없는 부분)이 완전히 건조되었다면 사포로 밀어서 표면을 매끄럽게 해줍니다. 원하는 부분에 먹지를 대고 도안을 그립니다. 바탕색이 있으므로 라인이 선명하게 나오도록 진하게 그립니다.

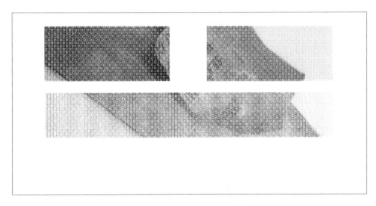

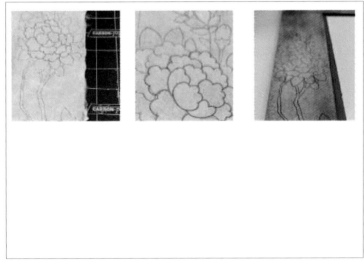

5) 채색하기

민화에 쓰이는 물감은 보통 분채, 봉채, 석채, 안채, 동양화 튜브 물감 등 다양한 전통안료를 사용하며 또한 바탕이 되는 종이도 아교 반수를 하여 물감이 잘 교착되고 번지지 않도록 여러 가지 과정을 거친 후 그림을 그립니다.

하지만, 이번에 소개할 빈티지한 표현방식에는 이러한 과정을 거치지 않고 한지의 색상으로 변화를 주어 빈티지한 느낌을 표현하는 방식을 소개합니다.

- 아크릴물감을 준비합니다.
- 꽃은 바탕색인 흰색에 물을 약간 섞어 묽게 한 후 채색을 합니다. 바닥 한지색상이 진한 색상이므로 흰색이 잘 드러나지 않을 수 있습니다. 엷게 여러 번 칠합니다.
- 꽃잎은 하나씩 칠합니다.

- 나비 그리기

  도안을 또렷하게 그립니다.

  바탕색으로 흰색, 주황색, 황록색을 칠합니다.

  몸통은 대자색으로 칠합니다.

  나비는 작지만, 더듬이와 다리도 그려줍니다.

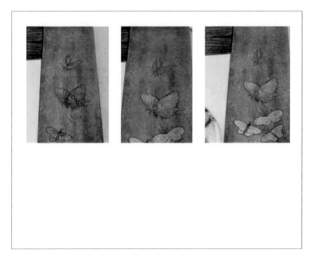

예시입니다.

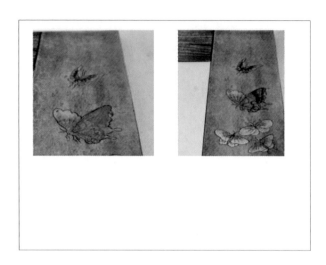

- 흰색 꽃잎은 진한 분홍색으로 바림합니다.
- 나뭇잎은 황토색을 엷게 채색합니다.
- 나무 기둥은 밤색으로 채색합니다.

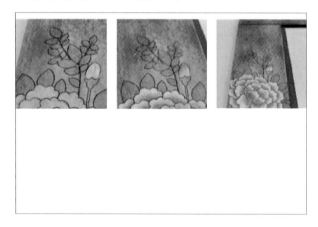

- 나뭇잎은 군청색으로 약하게 바립합니다.
- 아크릴물감을 사용하더라도 엷게 맑은 색으로 표현한다면 민화 느낌이 잘 표현될 수 있습니다. 처음부터 진하게 하지 않고 엷게 하여 여러 번 하면 더 깊이감이 생깁니다.

- 꽃 채색이 끝나면 바림한 색상보다 약간 진하게 세필로 윤곽선을 그립니다.
- 이때 물을 많이 섞지 않아야 선명하고 또렷하게 표현됩니다.
- 나뭇잎의 잎맥은 중간 먹으로 선을 그어 줍니다.

전체적인 채색이 완료되고 건조가 되었다면 한지를 붙인 풀보다,
더 묽게 하여 전체적으로 물풀 칠을 한 다음 건조합니다. 마감재
칠할 때 붓질이 잘 되고, 얼룩 방지와 견고함을 줍니다.

민화 조명 과정과 이번 과정에서의 차이점은 물감만 달리하였을 뿐 채색하는 방법은 거의 비슷합니다.

바탕색이 있어서 발색이 제대로 안 될 수도 있지만 맑게 여러 번 한다면 오히려 깊이감이 더 생기고 풍성해질 수 있습니다.

또한, 황토색을 칠했을 경우 순지 바탕에서의 색과 파란색 탈색 한지의 바탕에서 색이 확연하게 차이 나는 것을 알 수 있습니다. 색이 변화되는 과정을 참고하여 창의적인 작품으로 표현할 수 있습니다.

덧선그리기(마무리 라인)
물풀 칠을 한 후 건조된 상태에서 보면 사라진 선들이나 색이 있으면 수정을 하거나 보완해 줍니다.

흰 꽃은 진한 적색으로 덧선을 선명하게 그어 마무리합니다. 진한 노랑으로 꽃씨를 찍어 줍니다. 나비의 더듬이와 다리, 흰 점들도 섬세하게 표현합니다. 나뭇잎의 잎맥과 나무 기둥에 먹선으로 마무리합니다.

나무 기둥 아래 바위는 금선으로 그어 줍니다.

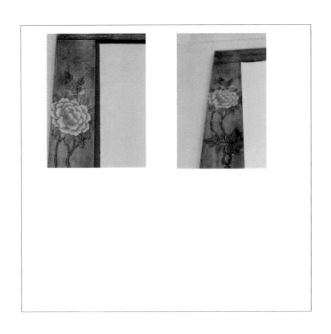

6) 마감재 도포 하기

전체적으로 미흡한 부분이 있는지 점검한 후에 바릅니다. (마감재가 도포된다면 다시는 수정할 수 없습니다.)

한지공예용 마감재는 소량의 물을 섞어 사용합니다.
마감재 묻힌 붓은 그릇 한쪽 끝에서 양을 조절해서 사용하고, 뭉치거나 아래로 흘러내리지 않도록 꼼꼼하게 칠해야 합니다. 완전히 건조된 다음에 뒤집어서 뒷면을 칠합니다.
1차 도포 후 건조된 다음 2차까지 바릅니다.

7) 거울 붙이기, 장석 달기

거울이 들어갈 부분은 한지를 붙여서 원래 크기보다 약간 작게 재단해야 하며 골격의 모서리 진 부분에 한지가 뭉쳐있을 수도 있으니 각이 지도록 해야 합니다. 튜브형 실리콘을 고르게 펴 바른 후 글루건이 있다면 사이사이에 몇 방울 쏜 다음 거울을 붙인다면 견고하게 붙일 수 있습니다, 하지만 전문업체에 맡기는 것을 추천합니다. 가장자리를 매끄럽게 처리하면 더 안전합니다.

<액자 고리 달기>
액자 고리는 골격의 두께를 고려하여 달아줍니다.
뒷부분에 액자 고리 2개를 달아 완성합니다.

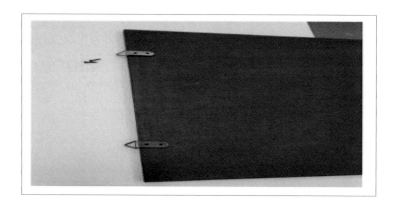

완성된 모습입니다.

< 응용사례 1 >

그림은 다양하게 응용할 수 있습니다. 책거리에 그려지는 화병을 그린 그림과 모란꽃 송이를 크게 확대하여 그렸고, 호피 무늬를 넣어 표현했습니다. 액자 고리를 가로 또는 사선으로 배치하여 장식 효과를 줄 수 있습니다.

< 응용사례 2 >

위의 사례에서는 같은 크기로 했지만, 합지를 재단할 때 합지 크기
와 거울 크기, 거울 위치를 달리하여 그림이 그려지는 면적을 넓게
하여 표현할 수 있습니다.

<예 시>

chapter 6. 나도 판매해 볼까? 옻칠 상품 제작하기

그동안 배운 내용을 토대로 하여 상품 제작을 해 볼까요?

기본골격이 되는 재료는 온라인 쇼핑몰에서 원하는 재료를 구매합니다. 내가 상품화하고자 하는 재료를 구매해서 한지의 색상이나 문양 또는 그림을 그려서 겉 부분만 디자인할 수 있고, 직접 합지를 재단하여 기본골격까지 새롭게 디자인할 수 있습니다.

〈재료구입처〉

한지 재료구입처 : 한지이야기 www.hanjistory.com

합지, 옻칠마감재, 수성마감재, 목공용본드, 붓, 쇠자 등

: 한지이야기 www.hanjistory.com

두리한지공방 ; www.doorihanji.co.kr

고려풀 : 손잡이닷컴 www.sonjabee.com

① 옻칠   ② 검정 탈색 한지   ③ 마감재

④ 글루건　　　　　⑤ 붓, 풀, 골격, 구둣솔, 쇠자

⑥ 민화 그리기 물감 ⑦ 탈색제 ⑧ 기타 문구류

1) 민화 옻칠 트레이 기본골격 제작하기

　합지 재단 : 위 : 40cm × 20cm × 2장

　　　　　　바닥 : 26cm × 16cm × 2장

 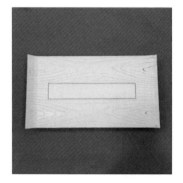

준비한 골격 뒤판 양쪽 끝부분에 1cm 간격으로 4~5개의 선을 그어 줍니다. 쇠자를 대고 선을 따라 깊게 직각으로 칼집을 냅니다. 양쪽 날개를 구부려 휘어지도록 칼집을 넣습니다.

앞판에는 그림을 넣을 공간을 남기고 나이테 문양을 넣습니다. 가운데 그림이 들어갈 부분은 홈을 내어 합지를 뜯어냅니다. 나이테 문양은 [chapter 5]에서 배운 내용을 참고하여 칼집을 약간 사선으로 하여 깊게 그어줍니다. 한 번에 그어줍니다.

목공용 본드를 이용하여 앞판과 뒤판을 붙여줍니다. 이때 양 날개 부분은 접착제를 바르지 않고 남겨둡니다. 순간접착제와 종이 테이프를 이용하여 가운데 부분이 접착되었다면 양 날개를 글루건으로 접착합니다.

글루건을 충분히 가열하여 선이 그어진 부분에 적당히 쏘아서 눌러 준 다음 글루건이 굳기 전에 곧바로 위로 휘어 준다면 곡선으로 됩니다. 아래 칼집으로 벌어진 공간을 글루건으로 메꾸어 준 다음 뜨거운 열을 이용하여 녹여서 매끈하게 해줍니다.

받침은 목공용본드로 중앙에 붙입니다. 골격이 완성되었다면 글루건 자국으로 튀어 나온 곳을 정리하고 목공용본드에 소량의 물을 섞어 글루건 쏜 부분을 칠하여 말립니다. 이 과정을 하면 한지가 뜨지 않고 잘 붙습니다.

2) 한지 붙이기

한지를 재단합니다. 상판 1장과 바닥 1장을 재단하는데, 앞판은 한지를 감싸서 바닥까지 1~2cm 여유 있게 재단하고, 바닥은 여유 없이 같은 크기로 합니다.

골격에 풀칠합니다. 한지의 뒷면에 풀칠하고 골격에 올려놓은 후 앞면까지 풀칠합니다.

그림이 들어갈 홈이 파인 부분은 손톱으로 눌러 공기를 뺀 다음 문질러서 붙입니다. 나이테가 있는 부분은 구둣솔을 이용하여 살짝 두드려 줍니다. 나이테 결이 보이면 손바닥으로 문질러서 공기를 빼고 붙여줍니다. 풀의 양이 너무 많거나 구둣솔 두드리는 강도가 세다면 한지가 찢어질 수 있으니 주의합니다. 또, 한지를 붙일 때 풀의 양이 너무 적다면 보풀이 생기니 풀은 적당한 양을 사용합니다.

3) 빈티지한 색상 표현하기

극세사 천에 락스를 묻혀 신문지에 말아 농도를 조절합니다. 탈색은 뒷면부터 시작하고 탈색이 되는 과정을 살펴보면서 앞면까지 합니다. 탈색제가 너무 많으면 나이테문양이 사라질 수 있습니다. 하지만 문양이 없는 경우에는 탈색을 강하게 하여 효과적인 명암을 주고자 할 때 이 방법으로 합니다. 탈색이 너무 어둡다면 말린 후에 다시 탈색합니다.

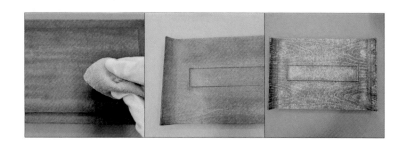

4) 민화 그리기

민화 그리는 방법은 민화조명과 벽걸이 거울제작 단계의 내용을 참고하여 그립니다. 민화 물감이나 아크릴물감 모두 사용할 수 있습니다. 배경 색한지는 무늬가 있는 한지를 선택하여 그림과 조화롭게 그립니다. 아래 그림은 아교포수 하지 않고, 아크릴물감을 사용한 그림입니다.

먼저 도안을 스케치한 후 배경 한지 위에 먹지를 올리고 그 위에 도안을 올린 후 그려줍니다. 배경색상이 진할수록 선명하게 그려줍니다.

<채색하기>

꽃의 바탕색을 칠하고 바림을 한 후 덧선을 그어 마무리합니다.

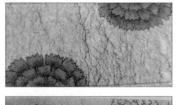

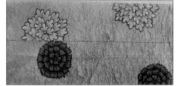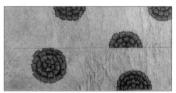

 5) 그림 붙이기

완성된 그림은 풀로 붙여 줍니다. 선 밖으로 나가지 않도록 하며, 젖은 한지는 늘어날 수 있으니 마른 상태에서 정확하게 재단하여 그림을 붙입니다.

 6) 마감재와 옻칠하기

트레이에 전체적으로 물풀칠을 하여 완전히 건조되었다면 마감을 합니다. 마감재를 하는 이유는 작품의 견고함과 오염을 방지하고 보관하기 쉽습니다.

먼저 한지공예용 수성 마감재에 소량의 물을 섞어 칠합니다. 마감재는 뭉치지 않도록 하며, 빈틈이 없도록 꼼꼼하게 칠합니다. 앞·뒤판을 칠할 때는 측면으로 흘러내리지 않아야 합니다.

\<옻칠하기\>
첫 칠을 한지공예용 수성 마감재를 먼저 칠한 후 건조했다면, 한지공예용 옻칠을 합니다. 색상은 작품의 디자인에 따라 선택합니다. 투명색, 연한 갈색, 갈색, 흑색 등이 있는데, 칠하는 횟수에 따라 색이 진해집니다.

그림이 그려진 부분을 제외한 부분에 옻칠합니다. 뭉치거나 흘러내리지 않도록 주의합니다. 붓질은 여러 번 하지 않고, 메꾸듯이 하며 기포가 생기지 않아야 합니다. 칠한 부분이 완전히 마른 후에 다음 면을 칠합니다. 이 과정을 2~3회 합니다. 옻칠은 수성 마감재에 비하면 비싸지만, 칠했을 때 색감도 우수하고 끈적임도 덜 하며 사용할수록 만족도가 높은 소재입니다.

완성된 모습입니다.

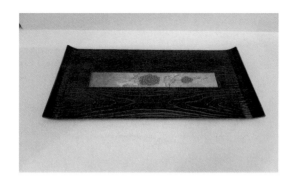

에필로그

남들이 부러워하는 민화 인테리어 소품, 이제 여러분의 것입니다.

민화는 접근성이 좋아서 누구나 쉽게 할 수 있습니다. 그림을 못 그리는 사람도 도안이 있어 그대로 따라 할 수 있고, 또한 "작품"이라 할 수 있는 그림을 초보자도 쉽게 그릴 수 있는 장점이 있습니다. 나만의 작품을 소장하는 즐거움과 인테리어 효과도 낼 수 있고 소품을 제작할 수 있는 기쁨을 누릴 수 있습니다.

요즘 대세인 민화를 응용한 다양한 방법 중 내가 직접 제작할 방법을 터득하셨나요? 이제 여러분은 다양하게 디자인을 변형할 수 있고, 그리고 싶은 그림으로 멋지게 예술작품을 제작할 수 있습니다. 민화를 통해 우아하고 멋진 취미가 하나 더 생겼습니다.

매일 보는 거울과
매일 한 번쯤은 마주하게 되는 온화한 빛으로
여러분의 공간은 오늘부터 새롭게 조명될 것입니다.

민화가 지닌 가치를 이해하셨다면
이제
민화로 행복을 선물하세요.

< 도안 1 >

< 도안 2 >

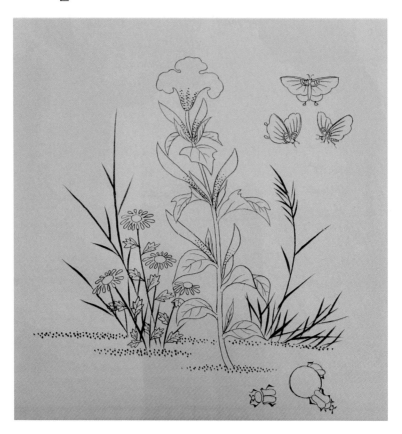

< 도안 3 >

< 도안 4 >

< 도안 5 >

< 도안 6 >

< 도안 7 >

< 도안 8 >

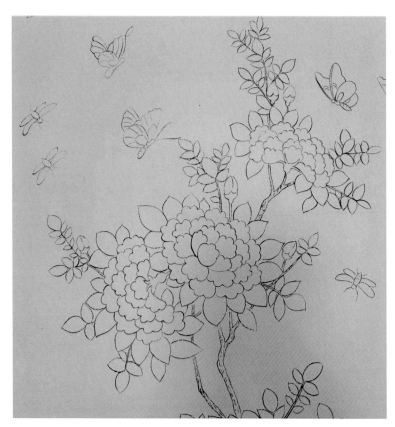